수필 품은

# 지게차
# 가이드

기초부터
실전까지

허
상
배
지음

수필 품은
지게차 가이드
기초부디 실전까지

발    행 | 2024년 6월 18일
저    자 | 허상배
펴낸이 | 한건희
펴낸곳 | 주식회사 부크크
출판사등록 | 2014.07.15.(제2014-16호)
주    소 | 서울특별시 금천구 가산디지털1로 119
              SK트윈타워 A동 305호
전    화 | 1670-8316
이메일 | info@bookk.co.kr

ISBN | 979-11-410-8974-0

수필 품은

# 지게차
# 가이드

기초부터 실전까지

허 상 배  지음

# ✦ ✦ ✦ ✦ ✦ 목 차 ✦ ✦ ✦ ✦ ✦

여는 글

## 뭘 해 먹고 살 것인가?

생각해 보면 누구나 답답할 수밖에 없다.

어느 누가 시원하게 답을 해줄 수 있을까?

오직, 혼자 걸어가야만 하는 길이고, 그 길은 어떤 형태성을 지닌 선로의 모습이 전혀 없다.

먹고 사는 것에 있어서는 그 누구도 명확하게 답을 낼 수 없다.

분 초 단위로 변해가는 세상, 그 변칙적인 사회 경제성에 그 그저 정신없이 따라가기에 바쁠 것이고 그 사이에서 자신의 꿈이 무엇이었는지 행복이 무엇이었는지 희석되어 희미해질 것은 당연지사이다.

막상 뭘 해 먹고 살아야 하는지 제일 시급한 문제일 테니까.

누군가는 그것을 위해 토익, 토플, 각종 자격증 공부를 힘겹게 하면서 미래를 준비할 것이다.

다~ 먹고 살기 위해….
풍족한 환경을 구축하기 위해 노력하는 거라 할 수 있다.

그러나 불행히도 그것만으로 다 해결되는 것은 아니다.
그 자격을 갖추고 실제 현장에 도달했을 때 더한 어려움이 기
다리고 있을 것이다.

그걸 넘기면 또, 다른 역경이 매번 다른 모습으로 나타나
게 될 것이고 하루하루가 한 달 두 달로, 일년 이년으로 뉠 것
이다.

그러면서 어느 한 길의 중치에 놓이면….

중년이 된다.

그때는 자신이 걸어온 길을 돌아볼 것이다,


여기까지. 지금 이 자리….

누가.
가르쳐 줬는가?


아무도 가르쳐주지 않았고.
그저 닥치는 대로 열심히 걸어와 보니 여기더라.

그리고 지금, AI 기술이 발달해 없어질 직업도 많다고 여기저기에서 걱정이 이만저만 아니다.

사실, 백 년 전과 현재의 삶을 놓고 비교해 봐도 이러한 우려들은 쉽게 이해가 된다. 분명, 많은 직업은 사라지고 인간이 하는 역할 또한 작아질 것이나 그에 반해 상상조차 하지 못했던 세상이 올 수도 있다.

그렇다고 해서 아무것도 안 하는 청춘이 될 것인가?
먼 미래를 봤을 때 '이거 지금 공부해 봐야 쪽박이야!'
하며 아무것도 안 하고 살 것인가?

그건 아니지 않은가?

기본적인 생활 영위를 위해서는 어떠한 형태로든 당장 취직은 해야 하고, 그 액수가 적고 많음과는 무관하게 '월급'이라는 것이 들어오면 나름의 문화생활을 향유하고 싶은 것은 꼭 청춘이 아니더라도 사람이라면 대동소이할 것이다.

그래서 뭐라도 공부하고 희망찬 미래의 직업을 그려보는 것이다.

하지만,
그 길을 이렇게 가라, 저렇게 가라 누가 명확히 알려주지는 않는다.

냉정하게 말하면.
'당신이 향해가고 있는 그 직업의 미래란 무지하게 힘들고,

종막에 가서는 없어질 직업이다.'

 이 말.
 참, 미래가 불안해 보인다.
 그 미래가 불안하기에, 암울하기까지 하다.

 이러한 암울함은 100%의 확률로 사회초년생이 가지는 '당연함'일지다.

 게다가 장담하건대,
 선배의 연배가 되는 이들을 포함 그 어떤 이들도 절대 뭐라 조언해 주지 않을 것이다.

 왜냐하면 자신들도 누가 알려줘서 산 게 아니라 살다 보니 중년이 되고 이래저래 살다 보니 청춘들에게 선배라는 소리를 듣는 이가 된 것이기에….

 즉, 자신도 잘 모르기 때문에 뭐라 조언하지 못하는 것이다.

 게다가 어설픈 지식의 조언이 이 청춘의 미래에 나쁜 영향을 끼칠 것을 우려하여 함부로 길을 알려주지 않는 것도 있다.

 ……

 그런 거다.

 '청춘'이란 내면에서는 새로운 위치와 불안한 미래에 대한 기우와 불만으로 가득할 것이고, 외형으로 봤을 땐 완연한 성인의 모습으로 모든 일에 책임이 지워지는 위치가 되어 그 불안의 증폭을 감내하기 벅찬 상태에 놓이게 된다.

그 불안 속에서 자신의 정신건강을 위해 '유희'라는 것을 즐기게 되는 것이리라.

술 마시고…
이성을 만나고…
음악에 취해 소리소리 질러보고…

그것에 뭐라 할 수 있는 사람은 없다.
답답할 거 아는 선배로서 그저 쯧쯧~ 측은함을 가지는 것일 뿐.


하지만
이럴 수 있지 않을까?

어떤 나이 지긋한 인생 선배가…

그저,
자신이 살아온 삶에 대해서 읊조리며
술주정처럼 잡다한 파편의 얘기들을 해줄 수는 있지 않을까?

---

나는 이리저리 기웃거리며, 이 일 저 일 그저 닥치는 대로 해
왔고.
그렇게 많은 부를 축적한 이도 아니다.

그렇다고 지게차라는 직업군에서 내세울 만큼 성공한 것도 아
니다.

그래도 이 분야에서는, 막냇동생쯤도 안되어 보이는 당신에
게, 또 어쩌면, 나이 지긋한 인생 선배일 수도 있을 알 수 없
는 독자에게 주절주절 얘기할 정도는 된다고 생각한다.

일단은, 단맛 쓴맛 다 본 경험자이기에 배짱 세게 글을 적어
나갈 것이다.

이제부터 시작되는 얘기들이 그저 헛소리 형태의 모습일지도
모르겠지만….
당신이 그토록 갈구하는 불안 탈출에 도움을 줄 수는 있을 것
이다.

자신의 삶보다 앞서 이래저래 처박히면서 겪어온 체험을 간접
적으로나마 듣게 된다면 자신이 처한 위치에서 미래에 대한 불
안을 최소화하는 데 일조할 수 있을 것이기에,

‘저 정도면 해낼 수 있지 않나?’ 하는 “자신감”


나는 그런 것을 알려주고자 한다.

당신에게 있어 어떤 명확함이라기보다는 그저 나름의 어렴풋
희미한 느낌일 뿐이겠지만…….

뭐 그게 어딘가?

나는 당신에게 선물을 주려 한다.


p.s
  그저 단순히 지게차 가이드만 이어지면 저만의 취지가 희석되어 버리는 느
낌이 들어서 개인적인 경험을 가미한 수필형식으로 집필하였습니다.
  이어지는 내용이 반복되는 느낌으로 다가갈 수도 있을 것 같아 중략하고도
싶었으나 독자에게 글의 취지를 강조하고자 함에서 그럴 수 없었음에 미안한
마음을 전합니다.

"너, 뭐 해 먹고 살 건데?"


이 질문은 군대 갔다 온 직후 친구에게서나 선배들, 누나, 형 아닌 당신의 부모님에게서 듣게 될 질문일 것이다.

아마, 100% 듣게 될 질문이다.

그리고 당신 스스로 던져 물을 질문일 것이다.


'진짜… 나, 뭐 해 먹고 살지?'
'장가는 갈 수 있을까?'

'여자친구는 사귈 수나 있을까?'
'내가 할 줄 아는 게 뭐지?'


알 수 없는…
나의 미래를 어떻게 꾸며 가야 할 지에 대한 갈팡질팡.

길 모르는 이들의 답답함.

학교나 군대에서 또는 학원에서 나름 뼈 빠지게 공부한 것들
이 과연 써먹을 수는 있을까? 하는 걱정.



' 뭐, 딱히 내세울 만한 자격증이 있는 것도 아닌데…….'

' 이거 참…'
' 뭐를 하지?'



어리바리 사회초년생.
그게 바로 당신이다. 솔직히, 나도 그렇고 말이다.



이런
사회초년생의 어리바리한 캐릭터.

당신에게 뒤집어씌우고 글을 적어나갈 것이다.
그래야 당신이 이 글에 대한 어떤 공감이 되지 않을까?



필자도 항상 미래에 대해서는 그대와 다르지 않은 초년생이
다.
그래서 나름은 당신을 잘 이해한다 전제를 깔고 얘기를 이어
나갈 것이다.

무진장 답답한…
아련한 청춘의 기억이…

답습되는 느낌이다.

하지만 그래도 나름 열심히 살아왔음에 나보다 어린 당신에게
알려주고자 한다.

맞는 길인지, 아닌지는 스스로 판단하는 것이겠지만

그저.
당신보다 나이 많은 늙은이의 인생 이야기가 이 분야 생초짜
에게는 참조 정도는 되지 않을까?

------------------------------------------------------------

당신은 미래에 대한 꿈을 꾼다.

안정적인 삶.

번듯한 직장에 취직하여 다달이 나오는 월급을 고정적으로 타
먹으며 쾌적한 환경 속에서 느긋하게 여행도 다니는 그런 달콤
한 상상.

꼭 이런 설정이 아니더라도 누구나 다들 비슷한 상황을 상상할 것이다.

그러한 당신.
이런 건 아마 자기 최면적인 도피가 아닐까?
'잘될 거야'라는….

사실, 뾰족한 답도 정답도 없으니 순간순간 그런 꿈을 꾸면서 힘을 내는 것이리라 생각한다.




어려서.
뭘 몰라서.

그러면서, 답답해하겠지.

그저
뭔가를 하긴 해야겠는데……

딱히 생각나는 것은 없고….




그냥 막막히 여유로운 삶을 영위하고 싶다는 욕망만이 내재하고 있을 것이다.

' 1억 '

' 그래, 1억 정도만 있으면 사회 첫 출발 하기 나쁘지 않겠는데……'

근데, 그 누가 그런 돈을 주겠는가?
아버지? 어머니? 누나? 형?

이렇게 말하고 싶다.

'머리에 총 맞았냐?'

솔직히, 당신이 '집'이라는 곳에서 도움을 받고 싶다고 생
각하는 것은 철이 덜 들었다는 방증밖에 안 된다.
당신은 말하겠지.

'흙수저'라는 사회 계층의 태생을….

' 누구는 저런데 나는 왜 이래?'

그래서 난 그 '수저' 자체에 관한 얘기를 당신에게 하고 싶
다.

걔네들의 부모들도 걔네가 태어나기 전의 당신이었음을

왜 생각하지 못하는가?


그 '금수저'의 부모도 당신과 같은 청춘으로 살아왔다.

우리나라는 전쟁을 겪은 나라이고, 그 당시 세계 최빈국이었
다.
ㄱ 당시를 생각하면 당신은 아마 혀 깨물고 자살했을 것이다.
아, 물론 당신을 무시할 생각은 없다.
그 '금수저' 부모도 그 당시에는 당신과 같은 청춘이었고,
힘들어했을 것임을 알려주고자 함이다.


아마도 청춘의 찬가? 그딴 거 없었을 것이다.

그저 먹을 거 찾아다니는 동물의 예리함만으로 살아갔을 것이다.

그렇게 보면, 그들 눈에 당신은 호강에 부친 것이겠지.
(물론, 시대에 따른 풍파를 말하는 것은 아니다.)


그저 당신이 청춘의 시간에 놓여 있음에 당연히 그들도 청춘
의 어려움이 있었다고 말하고자 하는 것뿐이다.

나도 한때 그랬고.


그러한..
부모가 부귀를 얻어 자식에게 뭘 해주는 것.

그것은..
그들 나름의 '행복' 추구 방식일 뿐이다.


그런 혜택을 시기하는 것은 좀 어린애 같은 모습이 아닐까?

그러니 남과 비교하진 말자.
그저 삶의 방식이 나와는 다르다는 것을 인정 해주자는 말이다.
(뭐 그들도 그들 나름의 괴로움이 있겠지. 속은 그 누구도 비교할수 없는 것이 아닌가?)

집에 대해, 가족에 대해, 부모에 대해 어떤 무언가를 기대지는 말자는 취지에서 말하는 것이다.

솔직히 당신은 최소 20살은 넘었을 거 아닌가?

그럼 성인이다.

부모가 당신을 그만큼 키워줬으면
그분들은 본분을 다한 것이다.


 그 이상을 본다는 것은 과보호이며 좀 격하게 말한다면 부모
가 무슨 죄가 있는가?
 무슨 대역죄를 지었다고 늘그막에서도 당신을 관리하며 뒤치
다꺼리해야 하는가.

 그건 아니지 않은가?

 당신은 야무지게 이 험한 세파를 헤치고 나아가, 스스로 딛고
일어서는 이로 성장해야 할 것이다.

 이에 원하는 것을 창출해 낼 수 있는 사람으로 거듭나라 말하
고 싶다.
 즉, '자기 개발'을 하라는 말이다.


 뻔한 잔소리로 치부 말고. 한번 생각해 보라. 얼마나 멋진가?
 그 스스로가 원하는 것을 툭툭~ 뱉어낼 수 있는 자판기가 되는 것.


그런데, 그게 참, 녹록하지 않다는 것이 문제다.
 자기 개발을 위해 시간을 쪼개어 쓰며 알바를 한다고 해서 얼

마나 넉넉히 벌고 모을 수 있겠는가?

 그러다 지칠 것이다.

 물론 나중에 회사에 취직도 하고 사회구성원으로서 여유 부리
며 살건 데 뭐, 급할 필요 있나? 라며, 천천히 즐기면서 사는
것도 일종의 방법이라 느낄 수도 있다.

 게다가 비슷비슷한 상황의 친구들도 주변에 있으니 어쩌면 그
게 더 자연스럽게 느껴질 수도 있다.




뭐 뻔하다.
그저 놀고 싶고, 젊은데 즐기고 싶은 것이다.



 그게 당신이다.

 어떻게 청춘을 내던지고 돈에만 매진하며 살 것인가?
 말도 안 되는 일이다.

 1억?
 뭐, 노력하면 벌 수도 수 있다.

 하지만 10억 정도의 미래를 구성하려 한다면 언감생심 엄두도
나지 않을 것이다.

티끌 모아 태산이라고 야금야금 모은다손 치더라도 나이는 그냥 있겠는가?
같이 늙어가겠지….

그렇게 되다 보면 항상 모자란다는 개념이 당신의 등 뒤에 메여져 당신을 지치게 할 것이다.


그래,
당신보다 늙은 내가 답해주리라.

돈 모을 생각하지 마라.
돈에 얽매이지 말라는 소리다.

모으면서 노력한다는 것은 정말 힘들다.

약간의 재화가 생긴다면

자신에게 투자하라.

그러면서 매진하라.

누가 뭐랬든 자신에게 투자한 만큼
철저히 처절하게

자신을 업그레이드시켜라.


일단, 이 대한민국이라는 나라는 대단한 나라이다.

남자라는 성별의 인간을 건강하다면 무조건 '군대'라는 곳으로 보내주기 때문이다.

얘기인즉슨,
그곳에서는 죽지 않을 만큼의 고난을 준다는 것.
그저 사람을 무식하게 괴롭혀 준다는 것.

쉽게 말해
건빵 하나에 자신의 온 힘을 쓰게 만드는 훈련을 시키고
깡으로 버티는 의지를 가르쳐 준다는 것이다.

물론, 요즘 군대는 군대도 아니라 말하는 노인네들도 있겠지만. 군대가 평소 일반인이 겪지 못하는 어려움을 선사해 준다는 것에 주안점을 두고자 한다.

분명, 군대라는 곳은 한정된 극한의 상황에 청춘들을 몰아넣고 그걸 이겨내는 힘을 가르쳐주는 곳이다.

되짚어 보아라.

간식 하나 또는 약간의 휴식에 목숨 걸고 몸을 움직여 본적이 몇 번이나 있는가?

아마도 군대 시절 말고는 거의 없을 것이다.
사람을 독하게 만드는 훈련을 시켜주는 곳이 바로 군대이다.

대한민국의 국민.
그 중, 남성이라는 존재를

사회라는 울타리에 들어서기 전에 싸잡아
군대라는 곳에 모아놓고 훈련을 시켜주니

거~ 얼마나 멋진 나라인가?

군대에서 몇십 킬로 구보를 뛰어본 당신이라면
웬만한 '자기 개발'은 이미 이루어 낸 상태일 것이다.


'자기 개발'이란 그저 '인내'의 표방이다.
그리고 '끈기'이다.

인체의 극한을 버텨내는 훈련을 해본 당신.
당신은 자기 개발이 곧 스스로와의 '싸움'이라는 것을 잘
알고 있을 것이다.

숨이 턱까지 차오르는 힘겨움에서 끝까지 가보는 것.
그것이 바로 인내심이고 자기 개발의 기본이다.

그렇기에 한 번 덤벼보게 되면 알게 될 것이다.


'거, 웬만하면 할만하겠는데?'

그러나 그러함에도 불구하고 이유 모를 답답함이 그대를 옥죄고 있을 것이다.

이는 바로!
현 상황에 당신이 세뇌되어 있기 때문이다.

생활방식의 무료함에 당신도 모르게 세뇌된 상태!


뭐랄까?
군대와 같지 않게 당신 주변에서 당신을 끌어주고 윽박질러 줄
교관이 없어서일 수도 있다.

세상의 풍파에 휩쓸려 자기 자신을 바라보는 감이
무뎌진 것이라 할 수 있다.

날카로운 검날이 두터운 검집에 갇혀
날빛이 보이지 않는 상황이라면 이해가 좀 되려나?

막연히 뭐를 공부해야지 하는데
그 분야에 대해선 생소하고 또 길라잡이두 없고.

다들 바쁘고 물어보기에도 뭐한….

그런 상황.


어떤 롤모델을 지향한다고 하더라도

한참 굉장히 먼 곳에서 그저 손짓만 할 뿐이다.
너무나도 먼 곳이기에.
'과연 내가 저 정도 먼 곳까지 갈 수 있을까?'라는 두려움
이 드는 것이다.

하지만 당신은 스스로 그 힘겨운 발을 용기 내어 내딛게 될
것이고 나아 갈 것이다.


어찌 되었든지
막연하지만 한번 도전해 보는 것이다.

. . . .

청춘이니까.

. . . .

다행히, 약간의 숨 고르기가 될 수도 있겠지.

그 발걸음 속에서 좋은 인연을 만나 힘내어 난관을 헤쳐 나가기도 하고,

커다란 역경에 일어나지 못해 나락으로 빠지기도 하겠지.

. . . .

그렇게 그렇게 다들 시간이 흘러

꿈꾸던 롤모델의 꿈을 이루게도 될 것이다.

.
.
.
.
.
.
.
．．．．．．．．．．．．．．．．．．．．．．．．．．．．

그럼,

다행이게?

．．．．．．．．．．．．．．．．．．．．．．．．．．．


백이면 백, 99퍼센트는 목표를 향해 걸어가다가 나이를 먹고
선 흐르는 세월 속에서 자연히 만나지는 인연으로 '가정'을
이루고 자신의 현실과 타협하게 될 것이다.

행복을 위해서 그렇게 멈춰 서는 것이다.

나도 그렇게 살아왔고,
누구나 그런 것이다.

삶의 행복이란
정해진 것이 없고
쟁취하는 것도 아니다.

살아가며
행복감이 느껴지는
그런 때가 있다면,

그저
지켜내는 것.

그런 것이다.


원하는 만큼의 가치를 창출해 내는 자판기?
그게 디딤돌일 수는 있지만 '행복' 자체는 될 수 없다.
단지, 삶의 질에 대한 업그레이드이며 행복으로 가기 위한 거름이 될 뿐이다.


그렇게 인생길을 걸어가다 행복감이 느껴지는 그 순간에
지켜 서서 즐기면 되는 것.

그 시점이 어디든 간에 당신은 노력하며 걸어갔으므로
예전보다는 훨씬 나은 위치에 서 있을 것이다.

예전의 당신보다는 분명 풍족한 위치에 있을 것이다.

꼭 재화가 아닐지라도 정신의 측면에서, 분명!

예전 그 옛날, 기본 시급 9,900원이었던 당신.
미래의 언젠가,
뒤돌아보라.
시급 99만 원이었던 어제의 당신이 있을 것이다.

그러한 시점에서 자조할 수도 있다.

'난 아직 행복하지 않구나….'

그러면
터벅터벅….
더 걸어가면 되는 것이다.

이미 당신은 더 걸어가더라도 그렇게 힘겨움에 헉헉댈 만한
하수는 아닐 것이기에….

그저, 좀, 모자라다 싶으며 더 걸어가면 되지 않은가?
터벅터벅… 몇 발 더 걷는다는 것이 예전처럼 힘든 것은 아니지 않은가?

뭐, 이제껏 걸어 왔는데….
몇 발 더 걷는다고 죽는 것도 아니고.

그렇게, 그렇게…

좀 더 가까이,
청춘이었던 당신이 그토록 원하던 '행복'에 다가갈 수 있을
것이다.

그러다,
행복하다 싶으면.


뭐……

지켜 서서
즐기면 되는 것.


그때까지.
걸어가라는 것이다.

그저 그때까지 한 번 열심히 가보는 거.

그거, 괜찮지 않나?

본

글

내 첫걸음은 지게차 기사였다.

뭐 사실 대단히 큰 기술이 있는 의사, 변호사 등등의 번지르르한 전문직은 아니다.

하지만 뭐든 오래 하면 전문가가 되는 법이고.
속칭, '장인'이라 칭하는 말도 있지만.

지게차 기사가 그렇게 고급 기술은 아니지 않은가?

하지만 '웹디자인'을 하고 있던 그 당시의 내게는 나를 업그레이드 시켜줄 만한 기술로 보였었다.

90년대 초반 웹디자인이란 상당히 생소한 직업군이었고 보수도 그렇게 좋지 않았다.
물론, 전문적으로 공부하고 대학에서 전산학을 전공한 이들과는 달리 나는 그저 단지 디자인이 좋아서 독학으로 쌓은 실력으로, 그저 가내수공업처럼 단순한 전산 그림 그리기 정도의 능력밖에 인정받지 못했기에 보수가 적었다.

그래도 딴은 나름으로 실력 있다고 자부했기에 프리랜서로 나섰으나, 당연한 얘기겠지만 몇 달에 한두 건의 프로젝트를 따는 게 다여서 이건 뭐 거의 백수에 가까운 수준이었다.

그러던 시절, 그나마 사람 구실은 하겠다고 어떤 중소기업에 취업하게 되었다.

군대도 다녀왔는데 앞으로 어떻게 살아야 할지 감은 안 오고 할 줄 아는 것이라곤 남들보다 컴퓨터를 더 잘 다루었기에, 먹고 살기 위해, 그저 어찌 보면 남들하고 비슷하게는 살아야겠다는 생각에서 내린 선택이었다.

아마 당신도 같은 상황이라면 그렇지 않았을까?

전문 분야에서 체계적으로 쌓은 지식이 아니라 얼치기로 쌓은 실력으로는 이도 저도 안 되는 거였다.


스스로 잘난 '지식'들이란
그저 술자리에서나 잘난 수준일 수도 있는 것이다.

그렇고 그런… 사회초년생의 모습.


그래서 나는 누구나와 마찬가지의 모습으로 중소기업에 겨우 턱걸이로 취업하게 되었다. 꼴랑 '엑셀' 조금 할 줄 안다는 이력서의 몇 줄로 인해 '자재 창고'에서 물품 들어오는 것, 나가는 것 등등을 컴퓨터에 기록하는 단순 업무를 맡게 된 것이었다.
때에는 '웹디자인'을 한다던 놈이 뭐 하는 짓인가 싶어도 나중에 느껴지더라.


모든 것은

각 분야가 있어야
다음 분야가 돌아간다는 것

그 다음, 그 다음
분야가 돌아간다는 것.

다들 나름의 분야에서 나름의 역할을 한다는 것.


그 당시의 난, 일단 취업은 했으니 업무나 열심히 하고.
그러다 보면 아무래도 기존의 나보다는 좀 더 나은 금전적인
환경에서 살아가리라.

즐기고자 했다.
'웹디자인'을 하면서 쪼들렸었던 주머니 사정은 분명히 나
아질 테니 말이다.

하지만 스스로 물음을 던지게 되더라.


'이게 정말 맞는 건가?'

부모님이 말씀하셨다.

 자고로 돈이 처음에는 적을지 몰라도 꾸준히, 열심히 하면서 회사 다니다 보면 월급도 올라가고 직급도 올라가고 회사도 조금씩 커질 것이고, 곧 좋은 날이 올 것이다.

……

그래서?

..

 사실, 이런 어른들의 말씀에 반감이 많이 들었었다.

'회사가 쫄딱 망하면? 나는 어찌 되는 건데?'

'딴 회사 가면 또 처음부터 시작해야 하고 거~ 뻔한 거 아니야?

언제나 끌려가는 게 다지 않나?'

 하지만 정답은 없었다.

 '금수저'로 태어난 것도 아니고, 그저 '흙수저'로서 월

할 수 있나 싶었다.
 그저 정석처럼 남들이 사는 대로 따라 사는 게 다인 듯이 생각되었다.


 그렇게 평범하던 어느 날.
 언제나 평범하던 그 하루에 사건은 시작된다.

 그 어느 날, '지게차 기사'로 있던 나이 지긋한 형님이 결근하는 일이 생겼다.

 그 형님의 업무는 지게차로 납품 자재를 화물차에 실어 출고하는 업무였고, 나는 화물업체에 발주를 넣고 몇 시에 어느 납품처로 배송해달라는 발주처 발부를 하는 일이었는데 세부적으로 봤을 때는 자재의 품목이나 사양 등을 세세하게 나누어 모듈화시키는 일이었다.

 그런데 그 형님의 결근으로 출고가 막히자, 회사가 한바탕 난리가 터진 것이다.

 사람 손으로 화물차에 싣고 할 그런 자재가 아니라 상당한 중량이 나가는 자재였기에 난감한 상황이었고.

 그런 상황에 어찌하다 보니 내가 지게차를 몰게 되었다.
 현재는 상상도 못 할 일이지만 당시에는 허다한 일이었다.

 자격이 되지 않던 내가, 왜?

과장들이나 대리들이나 한 목소리로 제일 어린 내가 하는 게 맞다나 어쨌다나?

그저 억지였다.

사실, 평소 지게차 기사 형님과 맘이 잘 맞아 같이 어울리면서 몇 번 지게차를 몰아보기도 했고, 이것저것 어려운 작업이 아닌 일은 종종 해왔던 터라 억지로 밀어 붙였었던 것이다.

그렇게 결근하신 형님 대신 지게차를 타고 납품 자재를 옮겨 싣게 되었는데….
그런 일이 좀 자주 생기게 되었다.
간단히 말하면, 지게차 기사 형님이 좀 많이 개긴 것이다.

평소 성격도 괄괄하고 건달 기질이 있던 형님은 수틀리면 회사를 자주 제쳐버리곤 했다.
어느 순간 내가 그런 형님의 전담 대타가 되어버렸고.
어느 틈엔가 아예 지게차 기사를 겸하게 되는 상황이 되어버렸었다.

결국에는 지게차 기사 형님의 퇴사로 나는 자연스레 그 자리까지 함께 떠안고 말았다.

원칙대로라면, 새로 지게차 기사를 뽑아야 함에도 회사는 IMF를 핑계로 내게 쥐꼬리 같은 돈을 더 얹어 주며 겸직을 제시하였다.

돈 드니까 새사람을 안 뽑고 나에게 일을 떠넘긴 것이다.


'......... 이런 제길.'


'뭐, 약간 더 고생할 수도 있는 것 아닌가? 돈도 더 챙겨준다는데….' 라는 생각에 그냥 떠안았다.

그런 상태.

그런 상태로 지내면서 '이왕, 이렇게 된 거 지게차 자격증이라도 따두자.' 라는 생각에서 시작한 것이 현재가 있게 된 경위이며,

현 여정의 시작이었다.

# =================== 2. 지게차 기사로서의 첫걸음

일단, '지게차 운전기능사'라는 것이 있다.

이것은 '필기시험'을 치른 후 합격자에 한하여 '실기시험'을 치르게 하는 국가자격증이다.
또, 부가적으로 '소형지게차 운전면허증'이라는 것도 있다.

이 두 가지가 뭐냐.

일단, '지게차 운전기능사'는 지게차 운전에 관한 운전 자격에 해당하는 국가자격증을 뜻한다.
간단히 말해 지게차라는 중장비는 무조건 운전할 수 있다는 것이다.
1톤부터 46톤까지. 아니, 그 이상!
톤수에 상관없이 다 운전할 수 있다.
(내가 아직 46톤 이상의 지게차는 본 적이 없어서 46톤까지만 적었다. 물론, 나는 30톤까지 전문으로 몰았다. ^.^)

그리고 '소형지게차 운전면허증'은,
사실, 전문 꾼들은 별로 신경 쓰지 않는 것이지만 상당히 중요하다.
이는 지게차의 도로에서의 직접 주행을 허락하는 증서이기 때문이다.
지게차는 그저 현장에서만 운행되는 것이 아니다.

때때로 도로를 주행해서 다른 현장에도 가야 하는 법이기에 이 '증'이 없으면 도로를 주행할 때 '무면허'로 범칙금을 부과받는다.

말 그대로 도로교통법에 의거 '운전면허증'과 같은 개념이라고 보면 된다.

참고로 이 '소형지게차 운전면허증'은 따로 시험이란 건 없고 이수증을 수료하는 시스템으로 되어 있는데 '1종 보통 면허증'이 있으면 중장비학원에서 12시간 이상 교육받으면 된다.

필기 6시간과 실습 6시간을 수료하고서 수료증을 받으면 된다.
간혹, '30만 원만으로 지게차를 몰 수 있다!'라는 광고가 종종 나오는데 그 30만 원이라는 돈이 바로 학원 교육비다.

나 같으면 이런 투자를 할 바에야 '국가자격증'인 '지게차 운전기능사'를 딸 것이다.

'지게차 운전기능사'라는 자격증을 취득한 사람에게 그냥 따라오는 것이 바로 '소형지게차 운전면허증'이다.
그저 관공서의 '건설부'에 가서 그냥 지게차 자격증을 보여주며 '만들어 주슈' 하면 뚝딱! 만들어 주는 것이기 때문이다.
그리고 '소형지게차 운전면허증'은 3톤까지만 몰 수 있어 그것 하나만 취득하는 것은 그리 매력적이지 않다.

어디든 공장 같은 데 가면 자그마한 지게차가 있는데 그건 그
공장 안에서만 약간의 자격이 있다면 다 몰 수 있기 때문이다.

그냥 수료만 받으면 되는 것이니 말이다.

그러하나 그래도 중장비는 중장비인데,
강의 몇 시간 만으로 자격이 된다는 것이 좀 그렇긴 하다는
게 내 개인적인 생각이다.

그러니 '면허증은 면허증일 뿐이다.'라는 게 내 생각.

물론, 이 면허만으로도 물류센터나 웬만한 공장에서는 플러스
요인은 된다.
그것도 나름의 기술이고 스펙이 되는 것이다.
하지만 대형지게차가 아니기에 그렇게 보수가 크지는 않다.

그리고 여기서 한가지!
보수 얘기가 나와서 얘긴데,


아무리 작은 지게차라 하더라도..
물류센터에서나 공장에서나 분명히 '현장 직군'이기에
사무직보다는 보수가 약간 높다는 것.


그 당시 난 사무직이어서 현장직보다는 적은 페이를 받고 있

었다.

그렇기에 당연히 현장직으로 지게차 기사가 되는 게 더 낫겠다 싶어서 자격증을 준비하였고 취득 이후 회사를 나왔다.


그렇게..
나는 '현장직'으로 이직하게 된 것이다.

. . . . . . . . . . . .

물론, 내가 무조건 옳다는 것은..
아니다.


'사무직'은 사무직 나름의 비전이 있다.

'사무직'이란 시간의 흐름에 따라서,
즉, 말하자면 경력에 따라서 대리, 과장, 부장, 등등 차츰 고위직에 오를 수 있다는 장점이 있다.

처음엔 미약하나 열심히 일하다 보면 점차 크게 성장할 수 있는 비전이 있는 것이다.
(물론, 공무원이 아닌 담에야 꼭 그렇다는 보장은 없지만 서도….)

여하튼, 자신의 노력이면 훨씬 좋은 자리에 오를 수 있다는 것이다.

'현장직'이라고 해서 딱히 좋을 것도 없다는 것이다.

왜냐면, 현장직(지게차 기사)로 있으며 몇 년이 흐른다고 해서
페이가 그렇게 급격하게 오르는 것은 아니기 때문이며
어떻게 보면 회사 입장에서 소모품 느낌의 직군이기 때문이다.

간단해 생각해 보자면.
그저 회사에 필요한 자재 파트일 뿐,
지게차와 같은 부속적인 개념이다.


어떤 필요적 요건에서 쓰일 뿐 회사 발전에 지대한 영향을 끼치는 것은 아니란 말이다.

그래서 오래 일한다고 해서 호봉이 엄청나게 오르고 하지는 않고 그저 약간 씩 약간 씩 세월이 흐르면 그만큼 전문적일 수 있겠지만..

결코, 보수가 그렇게 만족스럽게 오르지는 않을 것이다.
그렇기에 '사무직'이나 '현장직'이나 나름의 장단점이 있다.

여하튼, 난 그 당시에 돈이 필요했고 누군가 조언 해주는 사람도 없었기에 낼름 어린 치기로 돈을 따르기로 하였다.

물론, 멘토가 있었다고 하더라도 답은 결국 자신이 정하는 법이기에 무엇이 옳다 할 수 없다.

......

　많은 사람들이 자격증 인기 순위 중에 '지게차운전기능사'
가 최고로 좋다며 내게 이 분야에 관해 물어보며 정보를 얻으
려 한다.

　이에,
　자격증의 효율성보다는 이 '지게차 운전기능사'에서 파생되
어 나오는 인생의 장단점에 대해 조언을 해주고자 한다.


　　　　　　　'뭐 해 먹고 살지?'


　라는 이 궁극적 질문에 지게차 기사라는 업의 진로와 그것에
서 갈라지는 샛길에 대해 전해주고자 할 뿐이다.
　'지게차? 요즘 가격 착하게 나오던데, 하나 사서 자영업으로
사장 소리나 좀 들을까?'라는 중년의 사람들이 많이 있다.

　사실, 중년쯤 되는 이들이란..

그 나이에 회사든 사회에서든 뭐든 중추적인 위치에 있었던 이들이라 열심히만 살았다면 충분히 중형지게차 하나를 장만할 수 있는 나이일지다.


그러나 그렇게만 생각한다면 얼마나 쉽게 느껴지는 직업군이 즐비한가?

중장비 분야만 하더라도

'포크레인', '크레인', '스카이', '사다리차', '덤프트럭'

등등.


세상에 말로써 안 되는 것이 뭐 있겠는가?

다 '탁상공론'일 뿐.


하여 지게차 업계에 속한 이로서 알려주고자 한다.

재차 강조하지만
그저 지게차 업계에 대해 조금, 당신보다는 많이 안다는 늙은 형의 조언이라고 생각해 줬으면 한다.

사회초년생으로 세상에 나와
조언 받을만한 또, 그렇게 가르쳐 줄 사람
하나 없는 당신에게 말한다.

단지, 내 삶과 밀접한 직업군이기에

'이런 길도 있다. 나는 그렇게 살아왔다.'

'그러니 참고만 해줬으면 한다.'

그렇게 여차저차 나는 '지게차 자격증'을 취득하였다.

어떻게?
학원에 등록하고 그렇게 해서?

아니다.
독학으로 했다.

'어떻게 그것이 가능하냐?' 하겠지만 사실 궁하면 방법이란 어떻게든 나오기 마련!

<u>마음만 있다면</u>

<u>공부하는 것이야 어떻게든</u>

<u>방법이 나오는 법이다</u>.

필기 서류 접수하는 법은 관공서나 학원에 문의하면 되는 법이고, 인터넷에 검색 몇 번 해보면 다 나온다.

그리고 필기시험은 '다년도 출제집' 같은 거 서점에서 한 권 사서 미친 척 계속 풀다 보면 어떤 패턴이 보이고 답이 보이는 법이다.

　이는 운전 면허의 필기시험과도 비슷하다고 생각하면 이해가 빠를 것이다.

　그렇게 열심히 해서 필기에 합격하면 실기시험으로 접어드는데,

　그것은 직접 지게차를 운전해 보는 수밖에 없기에 지게차를 처음 접하는 사람은 학원에 시간제 실기 강의를 등록하면 될 것이다.

　학원비를 한 달 치 온전히 내는 것보다야 저렴한 비용에 가성비가 있을 것이다.

　아님, 주변 지인이 지게차와 연이 있다면 잠깐 밥 한 끼 산다며 부탁을 좀 해도 무방하다.

　지게차 운전이 그렇게 대단히 어렵다고 생각하지 않길 바란다.

　웬만한 운전 감각만 있다면 어느 정도 느낌이 올 것이다.

　물론, 사람에 따라 역량 차이가 있겠지만 자격증 시험을 위한 정도라면 그렇게 어렵지 않다 생각이 된다.

　(나 같은 경우에는 회사에서 이미 지게차를 경험했으니 수월했을 수도…)

　그러나, 정작 중요한 것은 현장 실무인데.

　지게차, 이것.

이것이 어렵지 않아 보여도 우습게 여겼다가는 인생 한방에 훅~ 갈 수도 있다.

어찌 되었든 '중장비'는 중장비이기에 약간의 아차! 사고 한 번으로 정말 나락에 빠질 수도 있는 것이다.


인생
한방에 훅~ 간다


그래서 영업용 지게차 분야에서는 초보 기사는 아예 뽑지도, 쓰지도 않는다.

대부분 영업용 지게차 분야는 3, 4, 5톤, 7톤 등이 기본인데 보통 아파트 신축공사나 빌라신축 등에 투입된다. 물론, 건축 자재를 전문적으로 만드는 회사나 중량물의 제품을 만드는 회사에서는 무조건 쓴다고 보면 될 것이다.

그래도 지게차가 중장비이기에 회사 차원에서 갖추기도 쉬운 일은 아니다.
그래서 보통 주변의 지게차업체에 연락해서 시간당 얼마씩 지불하고 작업을 시키는 게 대부분이다.
(물론, 회사가 크면 아예 자체 내 지게차를 상주시켜 둔다. 지게차 기사도 직원으로 뽑고 말이다.)

그래서 산업단지마다 지게차업체가 군데군데 있는 것이다.

이는 손이 모자라거나 하면 서로서로 도와가며 하는 가내수공업 수준의 작은 업체들이다. 좀 크다 싶으면 10대 이상 정도일테고 나머지는 보통 5대 정도의 지게차를 운영하는 그저 그런 작은 동네 마트 수준의 업체들이다.

하지만 이 또한 사업이다.
몇억씩은 지게차에 꼬라박고 하는.

그들로서는 생계인 것.

그래서 그러한 업체들은 사고에 굉장히 민감하기에 정석적으로 절대 검증되지 않은 기사는 뽑지 않는다.

당신이 잠깐 아차! 하는 사고 하나에 그들 사업의 존폐가 결정되기 때문에 함부로 뽑지 않는 것이다.

물론, 그런 점에서 봤을 때 일반 회사원보다야 페이가 좀 높은 편이기도 하지만 그만큼 진입장벽이 높다.

'그러면 어떻게 하라는 것인가?'

'초짜 기사라 취업도 제대로 안될텐데….'

'도대체 검증된 운전 실력을 어떻게 만들라는 것인가?'

맞춰주면 되는 거다.
즉, 내 실력을 키우면 된다.

'어떻게?'

'초짜라 뽑아주지도 않는데?'

'실력을 어떻게 만들고 경력을 어떻게 만들라는 것인가?'

물론, 지게차 자격증만 하나 덜렁 가지고선 기사로 뽑아주지도 않고 그렇기에 경력을 만들 수도 없다.
하지만 물류센터에서는 당신을 필요로 할 것이다.

그렇기에 일단 물류센터에 있는 작은 지게차로 먼저 취업하는 것이 하나의 방법이다.

당신이 돈이 필요하다면 일단 처음 시작하는 사무직보다는 보수가 좀 나을 것이고, 게다가 '지게차 자격증'이 있다고 한다면 바로 연락이 올 것이다.

그만큼 나름 이 자격증이 인기가 있는 것은 맞다.


'지게차'라는 것이 사실 쓰이지 않는 업종이 별로 없으며
수요가 많으면 그만큼 귀히 쓰이는 법이다.

그런 자격을 갖춘 이는 물류센터에서만큼 지게차가 많이 쓰이는 곳에서는
완전 땡큐~ 아니겠는가?


당신은 그런 곳에서 실력을 쌓아가는 것이다.


그러나..

그렇게 열심히 1년, 2년 정도 일을 하다 보면..

분명, '현타'가 올 것이고.
자신이 속한 업계에 대한 통밥이 굴러가게 될 것인데.

그 와중….
역시나 지게차 기사라는 것이
'현장직'의 범주에서 벗어나지 않는다는 것을
느끼게 된다.

이 시기쯤 되면 보수가 한정적으로 머뭇거리는 것을 느끼고서 미래에 대한 걱정이 늘어나게 되겠지.


'결혼',
그리고 나름의 인생 설계.

'과연 내가 이렇게 살아도 되는 게 맞나?'

그런 생각들.


그렇게 변화를 꿈꾸는 데….
그때 '영업용 지게차'로 눈을 돌리게 되는 것이다.

물류센터보다는 페이가 분명 나을 것이고..

지게차로서는 조금 더 업그레이드가 되는 게
눈에 보일 테니 말이다.


그렇게 당신은 문을 두드릴 테지만….
처음엔 앞서 말한 이유로 자영업 수준의 지게차업체가 대부분인지라 초짜 기사는 부담이 되어 사장으로서는 초짜를 아예 뽑아주지 않을 것이다.

사실, 영업용 지게차 기사는 지게차 운전만큼은 최고의 베테랑들이고 또 물류센터에서 일한 거 갖고는 아예 '경력'으로 치지도 않는다.

'그럼 다른 이들은 어떻게 그 업계에 들어간 것인가?'라는
궁금증이 들겠지.
맞다, 그들도 처음에는 당신과 마찬가지였다.

사실, 그들도 그 출입구를 몰라서 다들 지인이나 연관되는 직
업(건설노동자)들과 친분을 쌓아 알음알음으로 해서 뒤편 입장
구로 취업을 한 것이다.

당신은 아마 그런 연줄, 동아줄노 없을뿐더러
물류센터에서는 그런 연관된 사람들을 만나기도 애매한 상태
일 것.

그렇다면 무작정 찾아가라.
나도 그랬다.

'물류센터에 2년 남짓 다녔는데 못 먹고 살겠습니다.
곧 결혼도 해야 하고 답이 없네요.

다행히 먹고살려고 지게차 자격증 따고서.
이제껏, 왔는데….

여기 영업용 지게차라는 데는 그런 거 경력으로도 안 쳐주네요.
페이.. 좀 적게 받을 테니 좀 입사 시켜주십시오.
배우고.
이걸로 먹고 살고 싶습니다.'

라고 하소연 하라.
그럼 당신의 하소연은 웬만하면 먹혀들 것이다.

 보수야 처음엔 당연히 작겠지만 평소 당신이 물류센터에서 받
는 정도는 쳐줄 것이다.
 왜냐면, 영업용 지게차 기사의 평균 페이는 당신이 물류센터
에서 버는 것보다 월등히 높다.




 그리고 사장의 관점에서 물류센터 지게차 경력을 무시하는 이유는
사실, 건설 현장에서는 단순 지게차 업무와는 차원이 다른
어려운 작업이 많아서
물류센터 다닌 실력 정도로는 취급도 하지 않는 것이 맞는 말이다.

괜히 사고를 치기 십상일 것이다.




하지만.
사장은 당신 입장을 모르지 않을 것이다.

왜냐면, 그들 자신도 그렇게 처음 시작했을 테니 말이다.

 아마 형태는 달라도 처음 시작하는 처지에서는 비슷하니 다
이해는 해줄 것이다.
 그리고 분명 도움을 줄 것이다.

보수를 적게 주는 듯하지만, 위에 말했듯이
영업용 지게차 기사의 페이는 월등히 높으니
충분히 당신의 평시 유지는 될 것이고,

그렇게 당신은 영업용 지게차 기사로 시작할 수 있으리라 생각된다.


자~
이제 제대로 된 시작의 첫걸음이다.

이 ‘영업용 지게차’라는 분야를 설명하자면.
말 그대로 ‘영업직’ 임은 글자 그대로 나와 있음에 이해가
빨리 될 것이다.


지게차를 필요로 하는 곳에
기사가 지게차를 직접 운전해서 현장에 도착하여

성심성의껏 그들이 원하는 작업을 해주고서
그만큼의 보수를 받아 회사로 돌아오는 것을 말한다.


말 그대로 ‘외판원’ 같은 이미지로 생각하면 될 것이다.
그렇기에 별 더러운 작업도 다 해보고 또 까탈스럽게 구는 고
객도 만날 것이다.

하지만 그들로서는 고객이다 보니 ‘갑’인 것은 당연하고 또
당연히 그들의 요구를 들어주고 보수를 받는 우리는 어쩔 수
없이 ‘을’일 수밖에 없다.

그런 일들.
당신은 초짜라는 생각을 항상 가지고서 임해야 한다.

사장은 처음에는 워밍업 개념으로 쉽고 간단한 작업이 있는 현장에 보낼 것이다.

당신은 '이거 뭐 어렵지 않은데? 쉽네?' 사실, '별것도 아니네'라는 생각을 처음에 가지게 될 것이다.

하지만 잘 생각해 보라.
보통 지게차업체 사장이라는 사람은
20년, 내지 30년 정도 이 업을 한 사람일게다.

또, 내가 겪어본바 굉장히 독한 사람이 대부분이었다.

현재 나도 20년 넘게 이 업을 하고 있지만
좀.. 뭐랄까?..

굉장히 험한 일이라는 생각이 든다.

작업 자체가 그런 것도 있겠지만.
이 업계 환경이 좀 험하다.

이에 대해서 나중에 차근차근 설명해 주겠다.

여하튼 그렇게 몇 개월은 쉬운 일 위주로 작업을 시키는데 쉽게 생각하지 말라.

그러다 한 번쯤은 골 때리는 현장에 가서 일을 하게 할 것이다.

 딱, 사고 치기 좋은 그러한 현장일 것이다.

 아님, 무진장 진상 같은 현장 반장이 있는 곳에 투입 시킬 것이다.


———————————————————————————————————— (예시)


" 자네 철근은 좀 다뤄봤나? "


 이 물음에 초짜들이 대충 다른 현장 작업과 비슷할 거란 생각에서 '해봤어요. 걱정마세요.' 라는 말을 하며 자신감을 표한다.

 여기서, 누구든, 처음에,
 초짜 기사 티를 내고 싶지 않은 생각에서 다들 그렇게 말하는데, 솔직히, '철근' 같은 제품을 다루는 데에 처음이면 처음이라 고백하며 지도 편달 부탁드린다는 마인드로 다가가는 게 좋다.

철근은 시멘트 공구리 칠 때 지지대 역할을 하기 때문에 길이가 각기 다르고 무척이나 길다.

게다가 그 쓰임에 따라 굵기가 천차만별이며 묶음 단위도 달라 지게차로 떠서 이동시키기가 상당히 까다롭다.

그렇기에 무게중심을 약간이라도 벗어나면 지게차 포크 옆으로 미끄러져 넘어가 대참사 나기 십상이고 까닥 잘못하다가는 대형 인사 사고로 이어지기도 한다.

그냥 규격화된 나무상자나 파레트를 취급하는 수준이 아니란 말이다.

철근은 중심 부분을 정확히 뜨더라도 길이에 따라 양 끝이 쳐지는 무게가 각기 다른데, 그것은 굵기와 경도에 따라 차이가 나기 때문이다.

고로, 내려놓을 자리 양 끝부분에 항상 나무판자나 미끄러질 판자를 대고 살며시 내려 미끄러지게 내려야 한다.

그걸 모르고 하역하다가는 바닥에 양 끝이 내리꽂는 상황이 발생하며 바닥에 찍혀 철근이 훼손될 것이다.

(그럼, 당신은 당장에 현장에서 쫓겨날 것이다.)

물론, 반장들이 판자를 대주는 사람도 있지만 그렇지 않은 반장도 있는데 그런 반장은 초짜 반장이니 '큰소리'를 뻥뻥 치며 판자 대달라고 하면 된다.

간혹, '네 실력 한번 보자' 식으로 아무 동작도 안 하고 가

만히 지켜보며 심술부리는 반장이 종종 있다.

 그럴 때는 지게차 운전석 옆의 창을 내리고 판자를 받쳐달라고 요구하라.

 원래 그게 정석이고 초짜가 들통나는 구간이기도 하다.

 그러면 반장은 허겁지겁 판자를 댈 것이고 당신은 초짜가 아님을 증명하는 거다.

 그러나 이렇게 아는 척해서 작업을 진행한다손 치더라도 솔직히 '철근' 작업을 많이 해보지 않은 지게차 기사는 어떻게든 티가 나기 때문에 겸손함을 가지고서 반장들을 대하는 게 좋다.

 실력 좋은 베테랑도 현장 일을 하는 반장들과는 좋은 관계를 유지하려 노력한다.
 약간이라도 서로 배려하고 챙겨주는 환경을 서로서로 만들어 가는 것이 좋다.

 왜냐하면 건설 현장에서는 서로 신경 써서 챙기지 않으면 언제 어느 순간에 무슨 사고가 어떻게 터질지 알 수 없고 그런 무관심은 항상 대형 사고를 부르는 법이다.

 다들 먹고 살자고 나름의 가정을 짊어지고 열심히 일하러 나온 이들 일진데,

만일 크게 다치거나, 또는 다쳐서 불구가 된다면 그 가정은 어떻게 되겠는가?

이건 사무실에서 일어날 수 있는 단순 문서조작 실수로 끝나는 것이 아니라 한 가정의 붕괴를 가져올 수도 있는 일이다.

그만큼 다들 각자 개인의 일이니 관여 말자는 식의 얕은 생각은 하지 말지다.

---------------------------------------------------------------

항상 배운다는 태도를 고수하며
현장 작업에 임하는 게 가장 현명하다.

사장이 처음의 몇 달 동안은 쉬운 일 위주로 작업을 보내고 '가족 같은 분위기'를 강조하면서 서로 함께하고 같이 일하는 경우가 많을 것이다.

그건 회사가 작아서 보통 5명 내지는 8명 정도의 직원이 전부이기에 사장도 당연히 함께 부대끼며 일을 하게 됨을 뜻한다.

그렇게 부대끼다 보면 사람 간의 관계에서 틀어질 수도 있는 환경 또한 당연히 높은 확률로 당신에게 다가올 것이다.

사장은 당신이 실력도 실력이지만 약간씩 어려운 고비를 선사할 것이다.
 앞서 말한 바와 같이 좀 어려운 작업에 내보내기도 하고 상대하기 뭐 같은 고객사에 보내기도 할 것이다.

 이때, 당신은 정말 긴장해야 한다.

 약간이라도 당신이 갔던 그 고객사에서 클레임이 들어온다면 당신은 짐을 싸야 한다.
 즉, 회사 관둬야 한다는 말이다.

 작업 자체가 워낙 험하기도 하고 또한 작은 사업체이다 보니 고객사에서 들어오는 약간의 생채기(클레임)에도 거래업체가 날아가 버리는 것이기에 사장으로서는 차라리 기사 하나 내보는 게 더 이득이다.

 보통, 지게차 작업하는 자재나 물품의 가격은 몇천만 원대일 수도 있고,
그저 몇십만 원대일 수도 있다.
하지만 몇십 억대 단위의 자재를 운반할 때도 있는 것이다.

대개 모든 지게차에는 보험이 있지만
영세한 업체에서는 그 보험의 단가를 낮추기 위해
약한 보험을 든 경우가 있는데

이때, 사장은 당신의 실수 한방에
업체 자체를 접어야 할 수도 있는 것이다.

그렇기에 굉장히 꾕장히 날카롭고 지독한 성격이 대부분이라 생각하면 된다.

안 그러면 그 사장들은 못 먹고 산다.

===================== 5. 기본 작업에 관하여

--------------------- 포크

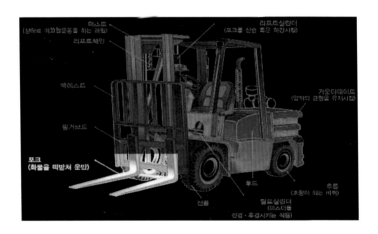

모든 일은 기본이 튼실해야 다음 단계로 넘어갈 수 있다.

당신이 지게차를 운전하는 데에 있어서 가장 많이 사용하는 것은 포크인데.

옛날에는 포크가 자동으로 좌우로 움직이지 않아서 항상 기사들이 운전석에서 내려 작업할 중량물의 너비에 맞춰 눈대중으로 포크를 벌리고 작업을 했다.

직접 운전석에 내려 쇳덩어리인 포크를 발로 차고 손으로 밀고 그렇게 작업을 했는데 아마 90년대 후반까지도 그랬던 것 같다.

그러던 게 요즘은 거의 다 자동 포크로 바뀌고 도리어 옛날 버전의 지게차는 찾아볼 수도 없으니 그렇게 겁을 먹을 필요는 없다.

하여튼, 이 포크에 대해서 가장 기본적인 것과 약간 숙달되면 수행할 수 있는 법 등을 알려주겠다.

시세차에 붙어 있는 지게차 자체 포크(원발)는 보통 1.3미터보다 약간 더 긴 정도의 길이를 가지고 있다. 물론, 3미터까지도 주문 제작이 가능하니까 사용하기 좋은 나름의 길이를 생각해 보면 될 것이다.

보편적으로는 지게차업체에서 지게차 제작할 때의 원발 길이는 1.3미터에서 2미터 사이이다.

그렇기에 고정적으로 사용할 거 아니면 포크 덧발을 사용하는데 크기는 원하는 길이에 맞게 폭과 두께를 잘 맞춰야 한다.

포크 덧발은 일종의 포크를 발로 생각할 때 신을 수 있게 만든 신발이라 생각하면 된다.

등산화, 골프화, 트레킹화 등등처럼 사용 용도에 맞게 주문 제작하면 되는 것이다.

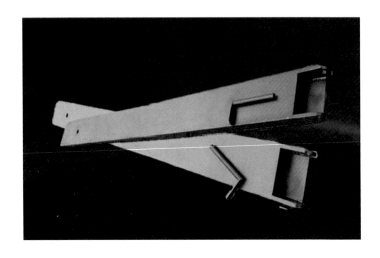

그러나 포크는 얼핏 보면 반듯하게 일자로 두께가 고정된 듯 보이지만 길고 곧게 뻗어 있으려면 당연하게 뻗어나가는 부분인 시작 부분과 끝부분의 두께가 다를 수밖에 없다.

그래야 포크가 부러지지 않고 중량물을 들 수 있을 것 아니겠는가?

그리고 이러한 포크를 사용함에 앞서 무게가 많이 나가는 중량물일수록 최대한 지게차 안으로 잡아끌듯이 안는 게 좋다.

무게 중심축이 포크 발끝으로 가면 지게차가 앞쪽으로 기울기 때문이다.

이때, 지게차가 앞으로 고꾸라진다는 느낌이 들게 되는데, 사실 정말로 자신이 타는 지게차 규격 중량물보다 더 많은 무게의 중량물을 들면 지게차가 앞으로 고꾸라질 수 있다.

그러면 큰 사고로 이어지기 때문에 적정 무게를 잘 보고 작업하는 게 좋다.

작업 여건에 따라 무리하게 이동시켜야 할 때도 있기는 하나 그럴 때에는 지게차 뒤축에 오무리(?)라고 부르는 것을 얹어 작업할 때가 있다.

이것은 일종의 꼼수로 지게차에 등짐을 지게 하는 것이다.

지게차 뒤축에 무게를 더 얹어서 지게차 뒤편으로 무게 중심축을 이동시키려는 목적이다.

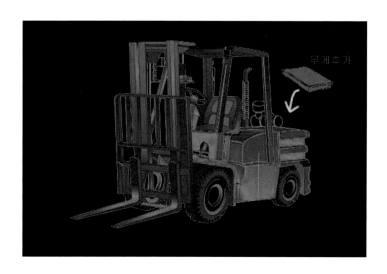

물론, 이렇게 어거지로 작업하는 것은 불법이기 때문에 절대로 사용하면 안 된다.

혹여나 누가 사진 찍어서 관공서에 보내기라도 하면 벌금이 어마 무시하다.

게다가 지게차에도 무리가 가서 포크 축이 휘어질 수도 있기에 정말 급박한 상황이 아니면 아예 생각도 말아야 한다.

거 꼴랑 시간당 몇만 원 벌려고 몇백만 원 날릴 수는 없지 않은가?
아무리 고객이 해달라 꼴값을 떨어도 절대 해주지 마라.

그런 작업은 차라리 더 큰 중장비를 불러서 작업하라 하고 빠지면 된다.

그러면 간단한 작업이란 어떤 작업인가?

당신이 물류센터에서 일 해봤다면 파렛트 작업이란 것을 해봤을 텐데, 그냥 지게차로 파렛트 옮기는 작업이다.

물론, 이것도 요령이다.

나무 파렛트가 있고 공장에서 만든 플라스틱 파렛트가 있을 것인데, 이 작업을 할 때는 시간이 좀 더 걸린다손 치더라도 처음 포크를 파렛트에 집어넣을 때 정확히 넣는 게 좋다.
그래도 포크가 쇳덩어리로 이루어진 거라 파렛트보다 강도가 강해서 잘못 넣다가는 파렛트가 다 부서질 것이다.


작업이 쉽게 생각할 수도 있겠지만..
당신이 작업하는 그 '파렛트'란
어떤 제품을 옮기기 위한 '받침대'라는 것을 간과하지 말라.

파렛트 위에 얹어져 있는 제품이 굉장히 고가일 경우에는
파렛트가 중요한 게 아니다.
겨우 몇만 원인 받침대일 뿐이다.

그 위의 제품을 염두에 둬라.
고가의 제품일 경우 난감한 상황에 맞닥뜨릴 수도 있다.


이 간단한 얘기를 왜 하느냐?
초짜들이 쉬운 일이라고 지게차 속도 내며 쉽게 쉽게 작업하기 때문이다.

그러다 보통 사고 치더라.
파렛트가 부서지면 그 위의 제품은 어떻겠는가? 무조건 클레임 들어온다.

반드시 조심하라.

포크의 위에 무언가가 있다면 무조건 긴장하라.

포크는 간단히 작대기 두 개로 물건을 옮기는 것이기에
넘어지기 쉽다.

공중에 띄워 움직이기 때문에 바닥이 울퉁불퉁하면
퉁~퉁~ 튀며 떨어지기 십상이다.

조심조심 또 조심하라.

이것만 기본으로 하더라도 당신은 어딜 가나 베테랑 소리 들을 것이다.


기본적인 거라며 적어놓고 보니
무조건 긴장하고 조심조심 움직이라는 말밖에 해줄 말이 없는
데….

사실, 중장비라는 게 그렇다.
가장 기본이 안전이니 조심에 또 조심하고 항상 긴장해야 한
다.

# ―――――――――――――――――― 백레스트(일명:행가방)

전문꾼들(옛날꾼들)은 물건을 안는 가방 같아서 '행가방'이라 부르는 것으로 이 백레스트의 용도는 제품을 안아서 안정적으로 받치는 역할이라 보면 된다.

이것에 있어서 덧붙이자면.
작업 현장이 큰 곳에서는 대부분 화물 자동바(일명:깔깔이바)를 이용해서 백레스트와 작업할 제품을 서로 묶어 이동시킨다. 어떤 자재라도 묶어서 이동하면 전도될 위험이 현저히 떨어지기에 현명한 방법임이 틀림없다.

하지만 삼성건설이나 SK, 현대건설 등등의 큰 건설 현장이 아닌 경우인 아파트나 웬만한 빌라건축 같은 경우에는 웬만하면 사용을 꺼리기 때문에 문제이다.

그건 같이 일하며 작업하는 반장들이라는 인간들이 묶는 게 귀찮아서 하기 꺼리기 때문인데…. (정말 큰 문제다.)

여하튼, 당신이 지게차를 운전하려면 기본적으로 가지고 다녀라.
당신이 직접적인 작업 당사자이고 사고가 나면 당신이 제일 크게 손해를 보게 될 것이다.




왜냐하면
당신이 직접 지게차를 운전하고 작업을 수행한 당사자이기 때문이다.

반장들.
작업을 시키고서는 다들 지게차 탓만 할 것이다.

거의!!!
무조건!!!
지게차 탓을 할 것이다.


'지게차가 운전미숙으로 사고 친 거다. 우린 한 게 없다.'

즉, 책임을 회피한다.

100퍼센트!!

맞는 말이다.

할 말 없다.

우기면 그대로이다.

고로, 당신은 외로운 작업자일 수밖에 없으니 스스로 자신을
지킬 수밖에 없다.

사고 치면 안 된다.

그러기 위해서는 조금이라도 찜찜하다 싶으면 무조건 묶어라.

그러고도 긴장해라.

그것밖에 답이 없다.

# ─────────────────── 리프트 실린더
## (포크를 상승 혹은 하강시킴)

이 리프트 실린더는 지게차에서 가장 강력한 파워를 내는 부분이다. 아무래도 제품을 직접 들어 올리는 곳이기 때문이다.

그 밑의 핑거보드의 경우는 작업하면서 부가적으로 옆으로 밀쳐낼 때 부하가 좀 걸리는 경우가 가끔 있으나 대부분 포크를 찔러넣기 위한 방향 조절 역할을 한다.

결과적으로 들어 올리는 역할을 하는 것은 리프트 실린더이다.

작업자는 이 리프트 실린더가 구동하는 마스트에 항상 구리스가 잘 발려져 있는지 확인하는 습관을 지니는 것이 중요하다.

여기에 구리스가 오래되어 말라 있으면 언젠가는 마스트 위, 아래로 작동하는 포크가 삑~삑~ 소리가 날 것이다.
그러면 이미 마모가 꽤나 진행됐다는 뜻이다.
좀 과하게 말하면 큰 중량물을 뜨다가 갑자기 팍! 마스트에서 버버벅!! 거리며 내려앉을 수도 있다.

물론, 좀체 그럴 일은 없겠지만 그래도 당신이 이 업으로 벌어 먹고살고 싶다면 신경 좀 써라.
자식같이 지게차를 봐줘야 이 지게차도 보답하는 법이다.

한 달에 한 번 정도 정비를 하는데, 구리스를 치는 게 당신의 중점적인 일이 될 것이다.

그럴 때, 한번 봐보라.

지게차에 있어서 구리스 주입 구멍이 가장 많은 곳이 바로 리프트 실린더와 마스트 부분일 것이다.
그냥 얼핏 살펴봐도 열댓 군데는 될 것인데 그만큼 중요한 부분이기 때문에 많다고 할 수 있다.

지게차의 역할은 모든 것을 들고 나르는 것에 있는데.
파워를 내는 곳은 리프트 실린더이고 그것의 통로가 마스트이다.

구리스만 많이 쳐줘도 10년 갈 지게차 40년은 간다.

--------------------- 카운터 웨이트
(오무리 엊는 곳)

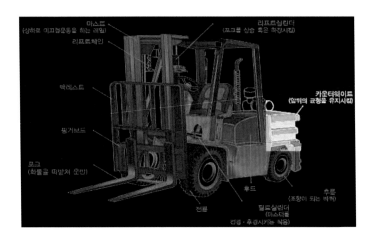

　지게차의 앞뒤 균형을 유지 시켜주는 무거운 엉덩이라 보면
된다.
　이 엉덩이 부분에 무거운 쇳덩어리를 금형 해서 만들어 놨는
데 상당히 중요하다.

　이 엉덩이가 모든 무게의 축이 되기 때문이다.
　완전 단단한 쇳덩어리라 보면 되기 때문에 회전할 때 항상 뒤
편을 염두에 두고 한 번씩 뒤를 돌아보며 무엇이 있는지 없는
지 살펴보고 난 뒤에 회전해야 한다.

지게차는 어떤 방향으로 회전하든 방향을 제어하는 엉덩이 쪽에서의 회전각이 크다. 그 때문에 신경을 많이 써야 한다.

일단 운전하는 처지에서는 고개를 돌려봐야만 확인할 수 있는 뒤편이기 때문에 무조건 사각이 될 수밖에 없다.

백미러나 후방 거울을 믿지 말고 직접 눈으로 보는 습관을지니도록 하라.

정말 신경을 많이 써야 한다.


회전하는데, 휭~

완전 커다랗고 묵직한 쇳덩어리가
옆으로 휘~ 후려친다고 생각을 해보라.

웬만한 거는 다 작살이 난다.
살짝만 스쳐도 다 박살이 날 것이다.

그렇기에 사람이라도 옆에 있다가 스쳐서 맞았다고 생각해 보라.


최소 불구나 사망이다.

정말 정말
조심해야만 한다.

지게차의 엉덩이 쪽으로 무게 균형을 맞추는 곳이 카운터 웨이트인데, 지게차의 적정 무게보다 더 무거운 것을 들게 될 경우가 발생하기도 한다.

이 엉덩이 위쪽에 쇳덩어리나 건축자재 중 무거운 아무거나 적절한 것을 억지로 올려놓고서 좀 더 무게 균형을 뒤쪽, 즉, 엉덩이 쪽으로 이동시켜 작업을 하는 경우가 있다.

즉, 오무리 대용으로 무게를 더 얹는 것이다.

억지로 무게를 증가시켜 작업하는 것으로 이것은 솔직히 지게차를 망가뜨리는 것이라 할 수 있다.


엔진에 무리가 갈 뿐만 아니라
포크에게도 부하가 가서 미세균열을 일으킬 수 있으니
웬만하면 삼가라.

게다가 불법이라 벌금도 무척이나 크다.

즉, 하지 마라.

————————————————— 후륜 (조향이 되는 바퀴)
／ 전륜 (앞으로 진행되는 바퀴)

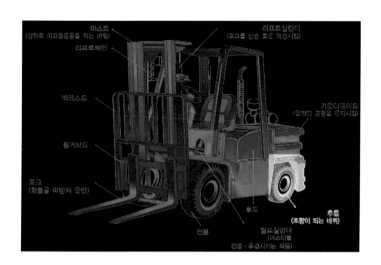

방향을 틀 때 이 후륜을 이용해서 지게차 방향을 조정한다.
음… 뭐랄까, 항상 뒤를 조심하라.

이 후륜은 전륜보다 회전반경이 크기 때문에 한순간, 당신이
생각하는 반경보다 더 크게 움직인다고 보는 것이 정확할 것이
다.

이 후륜을 잘 보는 방법은 백미러를 정확히 맞춰 보는 방법이
제일 좋다.

뒤를 돌아본다고 하더라도 후륜까지 세세하게 보며 작업 할
수는 없다.

고로, 백미러로 후륜의 동작 여부를 잘 파악하고서 운전하도
록 해야 하며, 또 뒤를 돌아보게 될 때는 이상징후나 뒤쪽에
어떤 위험이 도사리는지 자주 살펴야 하는 것이 맞을지다.

그리고 전륜이나 후륜을 교체하는 경우가 생기는데 빵꾸 때우
는 업체가 많아서 하나 골라서 단골로 불러 쓰는 경우가 많다.

현장에서 바퀴 빵꾸 나서 난감할 때가 있는데 단골 업체를 고
정적으로 둬서 빨리 해결하는 것이 좋다.

간혹, 빵구 때우는 비용이 생각보다 비싸서 자린고비 같은 사
장을 만나면 현장에서 스페어 바퀴를 가져와 직접 교체 또는
때우는 일도 있다.

그런데.
간단히 말해서 골병든다.

이걸 설명하려면….
좀 긴 설명이 될 터인데.

되도록 간략하게 설명해 보겠다.

준비물은 빠루와 쇳대, 그리고 오함마가 있어야 할 것이다.

그리고 에어임팩, 또는 수동임팩이 있어야 하며
마스트 받침대 또는 작키가 필요하다.

뒷바퀴(후륜)를 교체할 때는 작키로 엉덩이를 들어 올려서
뒷바퀴(후륜)를 빼내어야 하며,
앞바퀴를 교체할 때는 마스트 받침대를 이용하여 마스트 밑을 받치거나
아님, 굵거나 두께가 어느 정도 나가는 나무나 쇳덩이를 받치고
마스트를 앞으로 기울이면 앞바퀴(전륜)가 들리게 될 것이다.

그렇게 앞바퀴(전륜)는 교체하면 된다.

그리고 바퀴에는 휠(림)이라는 게 있는데 보통 쪽림과 통림으로 나뉜다.
또는 간혹 플레스온이라는 별도의 림도 있는데..

거~ 빼내기 힘들다.

빠루로 타이어 부분 한 곳을 잘 꽂고 후벼파야 하는데
그렇게 림 뽑아내고
타이어 사이사이 림을 잘 꽂아 넣기 위해 오함마로 내리치고..

뭐~ 얘기하자면 복잡하고 애매한데
언제 한번 사장이 자가 교체하는 것을 보던가.
아님, 타이어 교체 업체를 한번 불러서 교체하는 것을 유심히 한번 보라.

노가다 노가다.. 그런 노가다가 없다.
요령 붙으면 수월하게 할 수도 있겠지만..
처음엔 땀 무자게 흘릴 것이다.

# ─────────────────── 운전석 레버

(현대지게차 운전석 이미지)

이 운전석에서는 신경을 쓸 게 많다.

일단, 운전석에 앉게 되면 조양 핸들과 계기판, 전·후진 레버가 눈에 먼저 들어온다.

당신이 작업을 할 때 전·후진 레버와 조양 핸들로 시작할 것이며 발에는 인칭 페달, 브레이크 페달, 가속 페달 등이 와 닿게 될 것이다.

물론, 이 모든 것은 중요하다.

그리고 오른손 쪽에는 손으로 잡아당기는 레버가 네 개 내지는 세 개가 보일 것인데. 이것으로 포크를 위아래로 올렸다 내렸다 할 수 있다.

때때로, 네 개, 다섯 개 정도의 레버도 보게 될 것이다.
이것은 지게차 톤수의 종류에 따라 좀 더 세부적으로 만들어
진 레버이다.

기본적으로 올렸다 내렸다가 하는 위, 아래 레버가 있고 그
옆에 앞으로 포크를 숙였다 올렸다가 하는 레버가 있다. 그리
고 좌우 레버가 각각 하나씩 있다.

지게차의 톤수가 좀 올라가면 좌우 레버를 동시에 구동하게
하는 레버도 추가 되는 게 보일 것이다.
보통 7톤 이상부터 그러하다.

이 모든 것.

자주 숙달하며 손가락으로 자연스럽게 움직일 수 있어야 지게
차 기사라 할 수 있다.

이거 자연스럽지 않다면 지게차 기사라 스스로 생각하지 말
자.

당신은 이 지게차 기사로서 절대 못 먹고 산다.

노파심에 한 가지 팁을 준다면 5톤 밑으로는 웬만하면 인칭
페달보다는 브레이크 페달을 밟으며 속도 조절을 하고 가속 페
달로 작업하는 습관을 길러라.

왜냐면 5톤 이하의 지게차는 인칭 페달로 브레이크 페달화 해서 작업하면 지게차가 약간씩 밀릴 것이다.
(그러면 자재 넘겨먹기 딱 좋다)

7톤부터는 지게차 무게가 좀 나가기 때문에 인칭 사용이 좀 무난하게 느껴지기는 하나, 5톤 이하의 경우는 지게차가 밀리는 느낌이 들어 원하는 시점에 멈춰 서지 않아 답답함이 느껴질 것이다.


그리고!!

승용차처럼 한 발 사용은 절대 하지 마라.


승용차와 지게차는 그 민감도가 절대적으로 다르기에 두 발 사용을 원칙으로 하길 바란다.

한 발은 순간 대처를 절대로 하지 못할 것이다.

─────────────────── 계기판

(예: 현대지게차 7톤)

 기본 계기판은 대충 보면 비슷하게 되어 있기에 7톤을 예시로
들었다.
 물론, 3톤, 5톤 같은 작은 지게차의 계기판도 있지만 모든 지
게차의 계기판은 얼핏 보면 다 비슷하므로 당신이 직접 운전하
게 될 지게차를 보게 되면 금세 이해가 갈 것이다.



 기본적으로 지게차를 시동 걸고 작동하면 뭐가 뭔지 알게 될 것이니.

 자세한 건 당신이 지게차에 타고 있다면 팔을 뒤로 젖혀 보라
운전석 주머니가 있을 것이다.

거기에 보통 비치되는 것이 지게차 메뉴얼 책자이다.
읽어보도록 하라.
그거 한 번 보면 다 이해가 갈 것이다.

(참.. 무성의하다 생각하겠지만
그만큼 각기 기능이 있고 그것은 기본에 속하는 것이기에
당신이 발품 팔아 알아보는 것이 맞다.)

내가 여기서 짚고자 하는 것은.
운행하다가 갑작스럽게 계기판에 빨간불이 켜지고 지게차 상
태가 이상하다 싶을 때.

결코, 당황하지 말라는 당부이다.

당신이 작업을 하다가….
아님. 도로를 지게차로 주행하다가….

지게차 계기판에 빨간불이 켜지고 시동이 꺼진다고 하더라도

절대로 당황하지 마라.

도로 위에서 지게차는 주행속도가 워낙 느리기에 당신의 지게
차가 멈춰서더라도 뒤의 자동차가 당신 차를 꼬라박는 참사는

거의 일어나지 않을 것이다.

 그만큼 도로에서 지게차는 다른 주변 승용차에 비해 느림보 거북이 수준일 테니 당신 지게차 뒤를 따라오던 승용차는 결코 속도를 내며 오고 있진 않을 것이다.

 그러기에 사고 날 일 없으니 겁먹지 마라.
 그리고 작업하다가도 지게차에 빨간불이 켜지고 시동이 꺼진 다고 하더라도 사시나무 떨듯 겁먹고 우왕좌왕할 필요가 전혀 없다.

 자재를 들고 회전하는 와중에 지게차 시동이 꺼진다 해도 겁 먹지 마라.

 지게차는 포크를 들고 있는 한, 갑자기 떨어지지는 않는다.
 단지, 앞으로 가거나 뒤로 가거나 하는 엔진만 가동이 멈출 뿐이다.
 포크가 갑자기 내려앉는 일은 마스트에 걸려있는 체인이 터질 때 말고는 없다.

 고로, 갑작스럽게 지게차 시동이 꺼진다고 해서 큰일 나는 거 아니니 당황하지 마라.

 그냥, 그대로 서서 레버를 조작해 자재를 일단 밑으로 내리고 시동 꺼졌다고 사장에게 전화로 자초지종을 설명하든가 잘 아 는 전문가 선배에게 연락하면 된다.

겁먹을 거 하나도 없다.

그리고 기본적으로는 엔진 온도가 갑자기 오른다든지 하면
'부동액(냉각수)'을 기본적으로 챙겨보고 다른 부분을 살펴
보는 느긋함을 가져라.

보편적으로 부동액(냉각수)이 모자라서 엔진 온도가 오르는
경우가 많다.
그게 아니면 엔진오일을 살펴보면 된다.

이 두 가지만 잘 지켜줘도 엔진에 대한 문제는 잘 없다.
있다면 그건 당근! 정비하는 사람이 먼저 짚어줄 것이다.

그게 그들이 하는 일이다.
(솔직히, 운전기사가 무슨 정비 기사도 아니고 뭘 바라겠는가?)

## 1) 건설 현장.


 보편적으로 지게차를 쓰는 곳은 건설 현장이 많기에 많은 이의 인식이 먼지 풀풀~ 나고 땡볕에서 각종 건설 공구 들고 일하는 인부들이 많은 곳을 연상하며 험하다고 생각하고 있다.

 사실, 맞는 말이다.
 보편적으로 현장은 그런 곳이다.

 각종 철근이나 합판, 비계발판 등이 사용되는 흔히들 말하는 노가다 현장이다.

 그런 현장에는 나이 지긋한 분들이 반장 역할을 하며 그 밑에 인부들(시다?)이 있다.
 일당으로 보수를 받기도 하고 한달치기로 월급처럼 받고 일하기도 한다.

 그래서 그런지 하루 벌어 먹고산다는 인식이 많다.
 딱, 자신들이 일 한 만큼 돈을 벌어가니 그럴 법도 하다.

 일당으로 하루를 벌고 하루치 페이를 받는 사람들은 돈이 급

해서 단기적으로 일하는 경우가 많은데 보통 초짜들이 그렇게 받는다. (건설 현장의 페이는 쎈 편이니까)

 그리고 좀 짬이 된 사람은 대부분 월급으로 받는다.

 천차만별의 사람들이 번갈아 가며 모여서 일하다 흩어지는 것을 반복하기에 어찌 보면 좀 삭막하다 싶을 정도로 정이 메마른 사람도 있고 물론, 좋은 사람도 있다.

 이런 생활을 오래 한 사람들은 웬만한 인생살이를 겪어본 고수의 눈빛을 가지고 있다고 생각하면 된다.

 그런 사람들은 눈빛만 봐도 '아~ 이 녀석은 어찌어찌하다가 여기로 흘러온 거겠군.'이라는 통밥이 바로 나온다.
 그래서 좀체 마음을 잘 열지 않고 묵묵히 자기 일에만 열중하는 편이다.
 사람들을 많이 겪어본 만큼 이 꼴 저 꼴 다 보고, 상처도 많을 것이니 말이다.

 그래서 그런가 양아치 행동을 한다거나 뻔한 잔머리 쓰는 인간들과는 아예 상종하지 않는 편이고 또는 '지기방이'의 개념으로 정을 주려 하지 않을 수 있다.

 그리고 보편적으로 부지불식간 사고가 발생할 수 있어 예민하고 날카롭다 느낄 정도로 매우 꼼꼼하고 세심하게 현장을 살펴보고 일을 한다.

이러한 분들이 우리 지게차 꾼들에게는 '사감 선생' 같은 역할을 하는 분이라 생각하면 될 것이다.

우리가 보기에는 무난할 것 같은 작업도 몇 번을 이동하게 하며 일을 힘들게 만든다.
즉, 자기 맘에 안 들면 될 때까지 자재를 옮기는 것이다.

운전하는 사람에겐 무진장 피곤한 스타일로 다가오는 사람일 것이다.
하지만 이런 분들일수록 제대로 일을 해주면 확실하게 챙겨주기 때문에 좀 신경질이 나더라도 웃으며 대해주는 것이 옳다.

그리고 나름 이해도 해줄 수 있는 것은 이 건설 현장에서 맡은 프로젝트를 끝내야 자신 밑에 깔린 인부들 임금을 제대로 챙겨줄 수 있기에 한 가정의 '가장' 같은 위치에서 현장의 일들을 이끌어 간다고 생각하면 된다.

우리로서는 그저 지게차가 현장에 투입되어 한 시간, 두 시간 정도의 작업을 해주고 그만큼의 급료만 받으면 되겠지만 현장의 반장급들은 자기 팀이 언제까지 작업을 완료하느냐에 따라 그 임금이 나오기에 어떻게든 작업을 잘 마무리하고자 하고 빨리 끝내려 한다.

(물론, 그래서 사고가 자주 나는 것이지만.. 어거지적인 밀어붙임이 있기는 하다.)

때론, '뭐 이런 사람이 다 있나!' 싶을 정도로 부아가 치미는 경우가 있다.

아니, '때론'이 아니라 반드시 자주 있을 것이다.


하지만,
이런 말이 있다.



'상대방을 알려면,

그 상대가 신었던 신발을 신고 한 시간을 걸은 후
그를 판단하라.'



즉, 그 누구도 상대를 완전히 이해할 수 없다.

그렇기에 그 상대가 당신에게 어떤 욕을 하던 한 번쯤 그 상
대의 처지에서 생각해 보는 습관을 지녀라.

(그래봐야 절대 이해가 안 되겠지만 이해하려고 노력하자. 그래야 정신건강
에 좋다. 오죽하면 저런 성격이 되었을까? 생각하자.)



하지만….
당신이 성심성의껏 행동해 주면 그 싸가지 없는 놈(?)은


..

아니다.
성격 삐뚤어진 놈은 절대 변하지 않더라.

그러나
당신과 그놈 주위에 있는 어떤 이는 당신을 제대로 보고
또 그것에서 당신을 인정해 줄 것이다.


그러면서,
현장은 자연스레 어우러지게 되는 것이다.

지게차가 잠깐 건설 현장에 머문다고만 생각하지 마라.

그 현장이 당신에게 자연스럽게 다가올 때 그 현장에서 만나
게 된 반장이나 인부들이나 현장 소장들이나 당신 내면의 벗으
로 다가오는 법이다.

그리고 분명한 것은,
건설 현장을 업으로 하는 우리 지게차 기사나 그들이나 반드
시 다시 만나게 되어 있다는 것이다.


인생은 돌고 도는 거라 누가 그랬더냐?
그거 맞더라.

## 2) 건물 내부 설치 현장.

 이 현장은 공사 현장이 아니라 어떤 공장이나 아파트 내부에서 배관 설치나 공장 기계류를 설치하는 현장을 말한다.
 즉, 신축 공장에서 외부 공정이 다 끝나고 내부에 기계 본체나 거기에 연결되는 각종 배관 등을 설치하는 데에 지게차가 투입되는 것을 뜻한다.

 여기 현장에서는 밖에서 하는 작업보다 좀 더 세심한 작업이 이루어지기에 신경을 많이 써야 한다. 왜냐면 당신의 조작 실수 한 번에 내부의 온갖 시설들이 서로 연결 연결 무너질 수도 있고 실내 작업이라 작업반경이 좁아 사람들이 연쇄반응으로 다칠 위험이 크기 때문이다.

 보통 3톤 내지는 4.5톤의 지게차가 이 작업에 사용되는데 작은 지게차일수록 튕김 현상(작동반응이 빠르다)이 많기에 정말 살며시 움직인다는 느낌으로 작업을 해야 한다.

 게다가 공장 설비는 억대가 넘는 경우들이 허다하기에 정말 조심해야 한다.
 파이프 같은 것도 있지만 전자 설비의 경우는 정말 무지하게 고가다.

 고로, 조심조심 조심해야 한다.

## 3) 외부 야적장

이 현장은 건설 현장으로 자재를 보내는 베이스캠프 같은 개념의 현장이라 생각하면 된다.

건설 현장에서 사용되는 온갖 건설자재들을 모아놓고 화물차를 불러다 나르는데 이때 지게차가 화물차에 자재를 실어주는 업무를 수행한다.

그래서 고정적으로 다니는 화물차는 월대를 쓰지만 지게차는 월대보다는 탕바리(필요할 때 한 번씩 불러다 쓰는)가 보편적이다.

왜냐하면 자재가 지원되는 현장의 상황에 따라 그때그때 발주되는 자재가 달라지기 때문이다.

외부에 이 베이스캠프 같은 야적장이 있다면 건설 현장 안에는 샵장(자재 모아두는 작은 야적장)이 있는데 이곳에 외부 야적장에서 갖고 온 자재들을 쌓아 놓는다고 보면 된다.
즉, 건설 현장의 지척에 있는 터에다가 자재를 옮기는 작업이라 생각하면 될 것이다.

외부 야적장은 '자재 창고'라 보면 되는데, 창고장이 있고 그 밑에 건설회사 직원들이 있다.

이곳에 보편적으로 초짜 기사들을 보내는 경우가 많고 그것은 사장이 당신을 건설 현장보다 약간은 사고 데미지가 적은 현장이라 생각하기에 보내는 것이다.


왜냐면 건설 현장의 '주'가 되는 현장에서
크게 사고라도 터져보라.

오더를 넣은 건설업체도 그 현장의 '화주'로부터 클레임이 들어오면
계약 무효가 될 수 있으며,

지게차 사장도 한순간 오래도록 거래해 온 단골 업체를 날리는 것이다.


단 한 명의 기사 때문에….


그래서,
그나마 데미지가 적은 외부 야적장이나 그러한 곳에 처음에는 배치될 것이다.
여기서 인정을 좀 받게 되면 건설 현장으로 오더가 뜨게 된다.


4) 아파트나 공장 건설, 물류센터 신축 또는 발전소, 부두 등의 현장

이곳에서부터 현장의 참모습을 보게 되리라는 생각이 든다.

삼성 반도체 현장이나 SK 하이닉스 건설 현장 같은 대단히 큰 대형 건설 현장의 경우에는 안전요원들이 항상 현장을 지키고 있어 어떤 작업을 하든 FM대로 작업을 하기에 상당히 안전하게 작업이 진행되고 있다.

하지만, 위성도시의 외곽에 있는 공장이나 신규 아파트단지, 그리고 물류센터, 발전소 등의 현장은 아무리 안전요원이 있다고 하더라도 대기업이 진행하는 건설 현장과는 분위기가 사뭇 다르다.

보편적으로 좀 안전불감증이 심하다고 생각하면 된다.

게다가 말 그대로 노가다 아사리판? 이라고 해야 하나?

내가 겪어본바 눈대중으로 진행될 듯하다 싶은 작업은

그냥 억지로 진행하는 경우가 많다.

여기서 기사는 정말 지게차를 자기 입 안에 있는 혀처럼 자연스럽게 놀릴 수 있는 능력자여야 사고를 치지 않을 것이다.

왜냐하면 그런 현장에서는 일단 작업이 진행될 수만 있다면 지게차 운전 각도가 나오든 나오지 않든 어떻게든 그날 작업을 끝내려고 지게차를 닦달할 것이고 그것을 수행하지 못하면 당장에 지게차 운전 실력을 탓하며 버럭 소리치기 일쑤일 것이다.

지게차 기사로서 죽을 맛 나는 현장인 셈이다.

하지만,
이런 곳에서 지게차에 대한 운전 실력은 엄청나게 는다고 생각하면 될 것이다.

그리고 이러한 곳에서 실력을 인정받게 되면 아마도 당신은 그 업체와 동반자적인 입장에서 건설 현장이 마무리되더라도 함께 계속 가게 되는 인연을 만나게 될 것이다.

건설업체는 연속으로 건설을 수주받아 진행하므로 현재에 진행하는 건설이 끝난다고 해서 일이 없어지는 것이 아니라 또 다른 현장으로 이어지게 되어 있다.

당신이 실력이 있다면 다음 이어지는 건설 현장에 계속 함께 가자며 러브콜을 받게 될 것이다.

손발이 어느 정도 맞는 지게차를 만나기가 쉽지 않기에 그들에게도 당신에게도 서로 좋은 일이다.

# ================== 7. 영업용 지게차 업에 대해

여기서부터는 영업용 지게차 직업을 가진 사람들의 보편적인 생활을 서술하겠다.

보통 영업용 지게차는 현재의 건설 현장이 마무리되면 다른 곳의 건설 현장으로 이동하게 되는 데 보편적으로 한 도시 단위의 거리를 이동하며 일을 하는 게 태반이다.

한 지역에서만 집중적으로 도미노 넘어지듯이 현장이 이어지기도 하지만, 그건 어떤 산업단지를 형성할 때일 뿐이고 보편적으로 대부분은 경상도 어느 지역에서 아파트를 공사했다가 또, 엉뚱한 지역인 충청도의 어느 한 지역에서 발전소를 건설했다가 하는 장거리의 현장으로 이어지게 될 것이다.

건설업체는 그러함을 당연하게 보고 일을 한다.
즉, 건설 현장이란 원래 띄엄띄엄 전국에 걸쳐져 작업이 진행되는 거라 보면 된다.

비계전문업체나 철근업체, PC 업체, 전기설비 업체 등등 각종 전문 분야가 있고 그 업체들은 그 공정이 진행되는 건설의 파트에 따라 투입되기에 당신이 주로 거래하는 업체가 어느 지역 또는 어떤 신규 건설 현장에서의 공정에 연결될지 모른다는 것이다.

어떠한 기약 없이 당신의 지게차가 투입된다는 것.

즉, 전국 각지를 돌아다니게 된다는 것이다.

어디에 고정된 회사에서처럼
한곳에 머물며 업무를 하는 것은 아니란 얘기이다.



여기서,
중요한 것은.



이 지게차 업이란,

자신의 '가정'이 있는 지역에 터전을 두고 출퇴근하면서 지내기란

좀체 어렵다는 것.



출퇴근을 서울에서 저 멀리 부산까지 할 수는 없지 않은가?
때론, 거제도 같은 섬에서 일을 하게 될지도 모르는 것이다.

물론, 페이가 어느 정도냐에 따라, 가서 일하느냐 마느냐 결
정하겠지만.

분명한 것은 언제나 자기 입맛에 맞지는 않을 것이란 얘기다.

또한, 건설 현장의 인부들은 보편적으로 팀을 이뤄 그 현장 근방에 숙소를 정하고 합숙하는데, 지게차는 아무래도 독립적이기에 월대로 계약하는 그 건설업체의 조건에 따라 보수는 천차만별일 수밖에 없다.

아무래도 지게차에 들어가는 기름값부터 시작하여 월 단위로 들어가는 소소한 소모품들. 즉, 가끔 터지는 지게차 바퀴의 펑크 비용이나 원룸 계약에 따른 거주 비용 등을 꼼꼼히 따지고 월대 비용을 계산하는 것이 바람직할 것이다.

무턱대고 페이 세다고 계약했다가는 큰코다칠 수 있다.

그 현장에서 작업하는 작업의 강도와 업무수행의 양에 따라 기름값 차이가 크게 나고 당신의 밥줄인 지게차에도 무리가 갈 수 있다.

그러니 페이가 좀 세다고 생각하여 덜컥 계약했는데, 하루 종일 지게차를 돌리며 일을 시킨다면 배보다 배꼽이 더 클 수 있다.

우선, 기름값이 감당되지 않을 것이고, 지게차에 문제가 발생할 수 있으며 재수 없으면 몸은 몸대로 고생하고 돈은 돈대로 그렇게 모이지 않을 것이다.

게다가 아무리 아껴 쓴다고 하더라도 원룸 생활을 하면 타지에서 혼자 지내는 것에 비용이 쏠쏠하게 들어갈 것이고 나중에는 남는 것이 없을지도 모른다.

그리고 당신이 가정을 꾸리고 있다면,

출퇴근이 어려워,
한 주에 한 번 집에 가게 되는 주말부부가 당연히 될 것이고.

거리가 네댓 시간 걸리는 거리라면 한 달에 한 번이나 두 달에 한 번.

그렇게 집에 들르게 되는 경우가 잦아질 것이다.

. . .

그러면, 점차,
가정에 소홀하게 되며.

당신은.
외로워질 것이다.

. . . . .

맺

는

글

"당신은 지체할 수도 있지만 시간은 그렇지 않다."

- 벤저민 프랭클린 -


위의 말은 시간에 구애받을 수밖에 없는 인간의 삶에 대한 말인 듯하여 내가 좋아하는 몇 가지 명언 중 한 가지이다.


불교 용어 중에 '겁(劫)'이라는 가장 길고 영원하며 무한한
'겁파(劫波)'라고도 한다는 것이 바로 '시간'이다.


당신에게 어쩌면 '시간'이란 아주 급하게 흐르는 거라 생각될 수 있다.
하루가 너무 지루할 수도 또는 너무 일찍 끝나버리는 아쉬움으로 공존하고 있을 수도 있다.

나는 이 '시간'이라는 개념을 지게차 업에 접목하고 싶어서
'벤저민 프랭클린'의 말을 예시로 들어보았다.

딱히, 이 양반을 잘 아는 건 아닌데 어쩌다 보니 내 생애 처음으로 100달러를 손에 쥐게 되는 경우가 있었다.
거기에 이 양반 얼굴이 떡~ 하니 있길래 알아본 것뿐이다.
사실, 우리네가 외국에 갈 일도 별로 없을 뿐만 아니라 외국

돈을 많이 취급하는 사람도 아니다 보니 뭐 100달러짜리 지폐를 볼 기회가 있겠는가?

오래전,
한 20년 전쯤이던가?

어쩌다 거래하던 사장이
'어, 이거~ 죄송하게 되었는데. 이것밖에 없네요.
달러인데⋯. 술값에 보태세요.'
라며 100달러를 조심스레 내게 주었었다.

그날, 현장 일 끝내고 동료 반장들과 함께 술 한잔을 하러 갔었는데.
거래처 사장인 이 양반이 어쩌다 보니 동참하게 되었고⋯

지가 술값 낸다고 하더니⋯.

주머니를 뒤적거리다 어제 외국에서 돌아와 지갑에 원화가 없다면서
달러를 내게 주었던 사건이다.

당시 내가 30대 초반이었는데 그 거래처 사장이라는 놈은 40대 초반이나 30대 후반쯤.
아마 잘나가는 건설회사의 바지 사장쯤이 아니었을까 생각이 드는데,
자질구레한 일도 막 시키는 그런 사장이었다.

개뿔~ 나보다 돈도 더 잘 벌면서.

내가 술값을 내게 되었다.


그렇게 내가 처음 만져보게 된 100달러 지폐인데.
원래, 유명하고 잘나가는 사람이 지폐에 얼굴이 박히고 그러지 않던가?
그래서 인터넷을 뒤져보게 되었고, 꽤나 잘나갔던 사람이었구나 싶었다.


그 '프랭클린'이라는 사람을 알아보다가 '명언'이라는 몇
자 안 되는 글귀를 읽었고 내게 와닿게 된 거다.

'프랭클린'이 얘기한….


'당신은 지체할 수도 있지만 시간은 그렇지 않다.'


라는 말이 그 와중에 내 가슴에 슬며시 박혔다.

사실, 약간의 취기도 있었지만,
나와 나이 차이 몇 되지 않는 거래처 사장이 꽤 많은 돈을 벌
고 있다는 것에 대해서 자괴감이 든 것은 사실이다.

젊은 나이에 사장 소리 듣고 그에 걸맞은 깔끔한 외모.

그에 반해, 현장 일에 최적화되어 있는 꾀죄죄한 외모의 내 모습.

좀 비교가 되는 거 아닌가?

그럴 때가 있다.

그래.
그럴 때가 있다.

아마도 내가 젊은 취기에서 비롯되어진 자괴감이리라.

그러나,
과연,
내 자괴감이 옳은 것인가 생각이 들었고,

프랭클린이 한 말인 지체하고 있다는 말이 내 뇌리를 스쳐 지나갔다.

내가 지체하고 있다는 행동 속에 시간은 한없이 흘러가고 있다?

뭐, 간단히 얘기하면 열심히 살라는 얘기일 뿐이지만,
무엇 때문에 열심히 살아야 한다는 말은 없었다.


무엇 때문에 열심히 살아야 하는가?

재화?
겉치레?
잘나가는 당당함?

뭐, 그런 것을 위해 열심히 살라는 것인가?


누구나 명언들 속에서 열심히 살라는 뜻을 파악한다면,
그저 잘나가기 위해서는 그만큼 노력해야 한다는 뜻이라는 게
기본적으로 우리에게는 깔리는 관점이다.

그래서 나는 쓴웃음과 함께 고리타분하고 뻔한 얘기로 치부했
었지만…

다르게 생각해 보았다.


누구에게나 시간은 평등하게 흘러가고
누구나 그것에 얽매여 먹고 사는 것에 열중한다.

반나절 땀 쏙~ 빼게 몸 고생하고
허겁지겁 점심 먹고

또, 그렇게 오후 반나절을 일하며 하루를 마감하는데….

그 와중에, 열심히 사느냐 안 사느냐?
왜, 그것을 따지는 게 중요한 것인지?

아님, 너무 쪼잔한 잣대로 그 열정을 따지는 것은 아닌지 생각이 들었다.

다들 일은 하기 싫을 것이다.
힘들고 머리 아픈 복잡한 관계들도 싫고,
그러할 것이다.

그런데, 왜 그것들을 하려는 것일까?

'돈'?

돈을 벌면
이것저것 내 마음에 드는 모든 행위가 가능하니까?

집도 사고 아내도 얻고 자식도 교육하며
커가는 아이들의 미소에 뿌듯함을 가지고?

뭐,
그러기 위해서 일을 하는 거라고?

뻔한 얘기들.
삶 자체가 지겹고 힘들고 하기 싫었다.

그러나 억지로라도 해야 하는 게 프로가 아니겠는가? 직업적
인 일인 것이고….

일단, 일어났으면 보내야만 하는 하루인 것이다.




시간은 기다려 주지 않고.
무한히 흘러간다.

'겁(刧)'이라는 가장 길고 영원하며 무한한.
'겁파(刧波)'라고도 한다는 것이 바로 '시간'이다.

이러한 무한한 시간의 굴레에서 과연 인간의 삶은 얼마나 갈 것인가?
거 꼴랑 길어봐야 백 년의 단위인 시간에 속하지 않은가?

그런 와중에 뭐 그리 대단한 거 한다고 고생고생해 가며 살아가는 것인가?



라는 생각을 해보게 되었다.

그러다 내가 낸 답은…

'시간'이라는 무한에 속하는 개념 속에
내 몸뚱이?

아니, 나 자신을
갖다 포개어 본다는 것이다.

'시간'이라는 무한히 흘러가는
그것에

나를 넣어 믹싱해 본다는 것.

나와 '시간'을 이분적으로 따로 보지 않고 같이 보면 어떨까?

나로 인해서 시간이 흐른다는 것은 분명 맞는 얘기일 테니까.


내가 고생하고 집과도 떨어져 멀리 타지에 나와서 룸 생활을
하는데 '이거 뭐 하는 생고생이냐?' 하고 생각을 해보지만
결국은 안 할 수 없는 생활인 것이다.

왜?
내가 선택한 것이니.
그러니까, 이 무한한 시간 속에 스며든 게 나의 선택이었다
면….

그것이 시간 그 자체가 아닐까? 라는 말도 안 되는 생각을 해
본다.

어찌 되었든 흘러가는 시간 속에 고생고생하는 나 자신이

한참 덜 떨어지고
또, 참으로 게을러터져서
열심히 살고 있지 않아 보인다지만….
결국은 열심히 살고 안 살고는 결국 나 자신일 뿐.

이런 과정 속의 시간,
그 또한 내가 만든 굴레라는 사실을 깨달은 것이다.


그러기에 이 시간과 내가 하나가 된다는 말 그대로 그저 힘든
일이건 웃을 일이건 때론 눈물 질질 짜는 일이건 간에.

결국은 내 자신이 되는 것인데.

좀,
잘해보자는 생각이 든다.


좀 울 일이 있으면
잔머리를 써서 웃을 일로 만들고.

좀 돈에 쪼들리는 시기가 도래하면
잔머리를 써서
요리조리 재화를 만들어 볼 냥
부지런도 떨어보고.

그냥….
내 시간이 나인데,

내가 조리를 멋들어지게 하면 더 멋져지지 않을까…?

. . .

소금이며.

후추며…,

설탕도…,

채소도…,

고기도
. .

그렇게 넣고
섞고 조리해 가며


그렇게 내가 나의 '시간'에 관여하는 것도 재미있겠다
싶은 생각이 들었다.


그게 지체하지 않는 삶이고

시간이 흘러가는 것에 뒤처지지 않고

함께 즐기는 게 아닐까?